Domitille de Pressensé

émilie
et les œufs de pâques

Mise en couleurs: Guimauv'

les cousins sont là !

la chasse aux œufs
de pâques
peut commencer !

chacun
avance doucement
dans l'herbe...

en regardant partout,
partout.

ah !

celui-là
est trop facile.
il est pour élise.

moi, dit nicolas,

je vais ramasser
juste un œuf !
le plus dur à trouver.

oh ! un œuf en haut !

et deux autres
en bas de l'arbuste !

et ici dans les buissons !

il y a des œufs partout :
autour du puits...

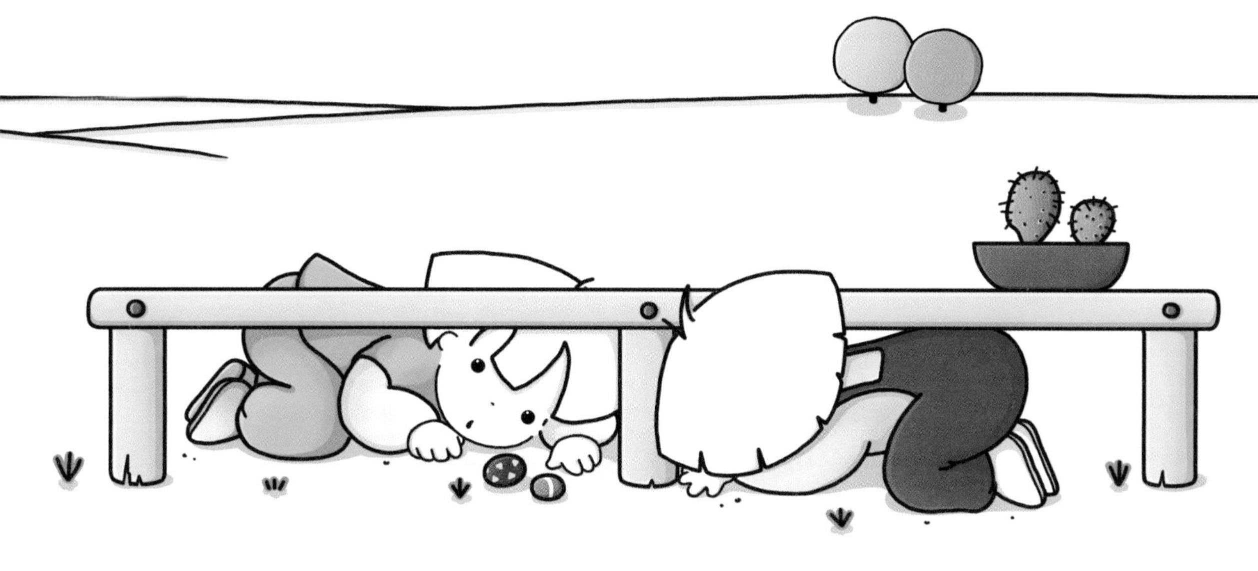

sous le banc...

et parmi les fleurs.

mais sur le mur...

on ne trouve
qu'un seul œuf.

et là, rien du tout !

heureusement,
le panier est déjà plein.

c'est fini...

impossible
d'en trouver d'autres.

enfin, c'est à moi !

je vais découvrir l'œuf
le mieux caché
du monde.

d’abord,
je regarde ici...

et puis là...

et aussi
dans ce coin.

pff...

cet œuf se cache
vraiment trop bien.

tu sais, nicolas,

on les a peut-être
tous ramassés...

c'est l'heure
de déjeuner.
venez vite !

dit maman.

c’est pas juste !

d’abord,
moi, j’ai rien du tout !

tant pis,
je continue à chercher.

là ! ici !

j'ai trouvé
mon œuf de pâques !

haaa...
il est tout cassé.

et en plus c'est même
pas du **chocolat**.

chuut !
j'entends un bruit.

et si dans ce buisson
il y avait...

un nid d'oiseaux !

un nid avec des œufs
pour de vrai !

c'est encore plus précieu

et puis quand les bébés
on les protégera jusqu'a

que les œufs de pâques !

oiseaux seront tous nés,
ce qu'ils s'envolent.

Mise en page : Guimauv'
www.casterman.com

ISBN 978-2-203-03812-7
Achevé d'imprimer en janvier 2011, en Italie.
Dépôt légal : mars 2011 ; D.2011/0053/189
Déposé au ministère de la Justice, Paris (loi n° 49.956 du 16 juillet 1949 sur les publications destinées à la jeunesse).